Mi primer
Diccionario de frases
Español/Inglés

Armelle Modéré

susaeta

Índice

Las clases se han acabado. Dora está contenta de estar en **casa**.

School is over. Dora is happy to be at **home**.

En casa

At home

Papá está sentado en el sofá del **salón**. Está leyendo.

Dad is sitting on the sofa in the **living room**. He is reading.

A Dora le encanta cuidar el **jardín**.

Dora loves taking care of the **garden**.

Dora juega en
la **cama**.
Dorie plays
on the **bed**.

A menudo Dora dibuja
sentada en su
escritorio.
Dora often draws sitting
at her **desk**.

Papá va a meter el coche
en el **garaje**.
Dad is going to put the car
in the **garage**.

La familia
The family

¡Buenos días! Me llamo Tom y ésta es mi **hermanita** Emilia.

Good morning! My name is Tom and this is my **little sister**, Emily.

Éstos son mis **padres**, Amelia y Pedro.

These are my **parents**, Amy and Peter.

Dina y Copito también forman parte de la **familia**.

Dina and Copper are also part of the **family**.

A Tom le gusta mucho jugar con sus **primos**.
Tom loves playing with his **cousins**.

La **tía** de Tom acaba de tener un bebé.
Tom's **aunt** has just had a baby.

El **abuelo** y la **abuela** han venido a vernos hoy.
Grandpa and **Grandma** have come to see us today.

El **despertador** está sonando. ¡Es hora de levantarse!

The **alarm clock** is ringing. Time to get up!

Es hora de levantarse
Time to get up

Mamá da un gran **abrazo** a Ted. ¿Has dormido bien?

Mum gives Ted a big **hug**. Did you sleep well?

Papá ya está levantado. Está **desayunando**.

Dad is up already. He is **having breakfast**.

Cuando Ted termina su desayuno, **se viste**.
When Ted finishes his breakfast, he **gets dressed**.

Luego **se lava** la cara y las manos y se cepilla los dientes.
Then he **washes** his face and hands and brushes his teeth.

¡Ya está! ¡Todo el mundo está **listo**!
There! Everybody is **ready** now!

Higiene personal
Personal hygiene

La madre de José recoge el **cuarto de baño**.
Joey's mother tidies the **bathroom**.

La **toalla** de baño.
The bath **towel**.

José **se peina**.
Joey **combs** his hair.

Mamá le seca el **pelo**.
Mum dries his **hair**.

Después le limpia las orejas y le corta las **uñas**.
Then she cleans his ears and trims his **nails**.

Por último, ¡un toque
de **colonia**!
Finally, a touch
of **cologne**!

La ropa
Clothes

Shigéru se viste cada **mañana**.
Shigéru gets dressed every **morning**.

Cuando llueve se pone **botas** e **impermeable**.
When it is raining, he wears his **boots** and **raincoat**.

Una **sudadera**.
A **sweatshirt**.

Shigéru **se abrocha** los zapatos antes de salir.
Shigéru **ties** his shoelaces before going out.

Los **zapatos**.
The **shoes**.

Ha nevado;
Shigéru tiene
que ponerse
guantes
y un gorro.
It has been
snowing;
Shigéru must
wear **gloves**
and a hat.

Melvin se acaba de levantar. **Tiene hambre**.
Melvin just got up. He **is hungry**.

El desayuno
Breakfast

Pan y **mantequilla**.
Bread and **butter**.

Mamá le da **zumo** de naranja.
Mum gives him some orange **juice**.

Después come
cereales.
Then he eats
some **cereal**.

Un bol de **leche**.
A bowl of **milk**.

Termina el desayuno
con algo de **fruta**.
He finishes breakfast
with some **fruit**.

Irse a dormir

Going to bed

Antonio está **cansado**. ¡Es hora de irse a dormir!

Anthony is **tired**. It's time to go to bed!

Antonio bebe un **vasito** de agua.

Anthony drinks a **small glass** of water.

Papá siempre le lee un **cuento**.
Dad always reads him a **story**.

Un **beso** para mamá,
un beso para papá.
A **kiss** for Mum,
a kiss for Dad.

¡**Buenas noches**!
Good night!

La tía Rosa y Lali quieren **cocinar**. Primero deben encontrar el libro de cocina.

Aunt Rose and Lalie want to **cook**. First they have to find the cookbook.

Cocinar
Cooking

El **libro de cocina**.
The **cookbook**.

Lali comprueba que están todos los **ingredientes**.
Lalie checks that all the **ingredients** are there.

Cuando la **mezcla** está lista,
hay que echarla en un molde.
When the **mix** is ready,
they have to pour it into a mould.

Después tienen que
vigilar la **cocción**.
Then they have to
check the **baking**.

¡Oh! ¡Qué **pastelito**
tan rico!
Oh! What a tasty
cake!

Poner la mesa

Setting the table

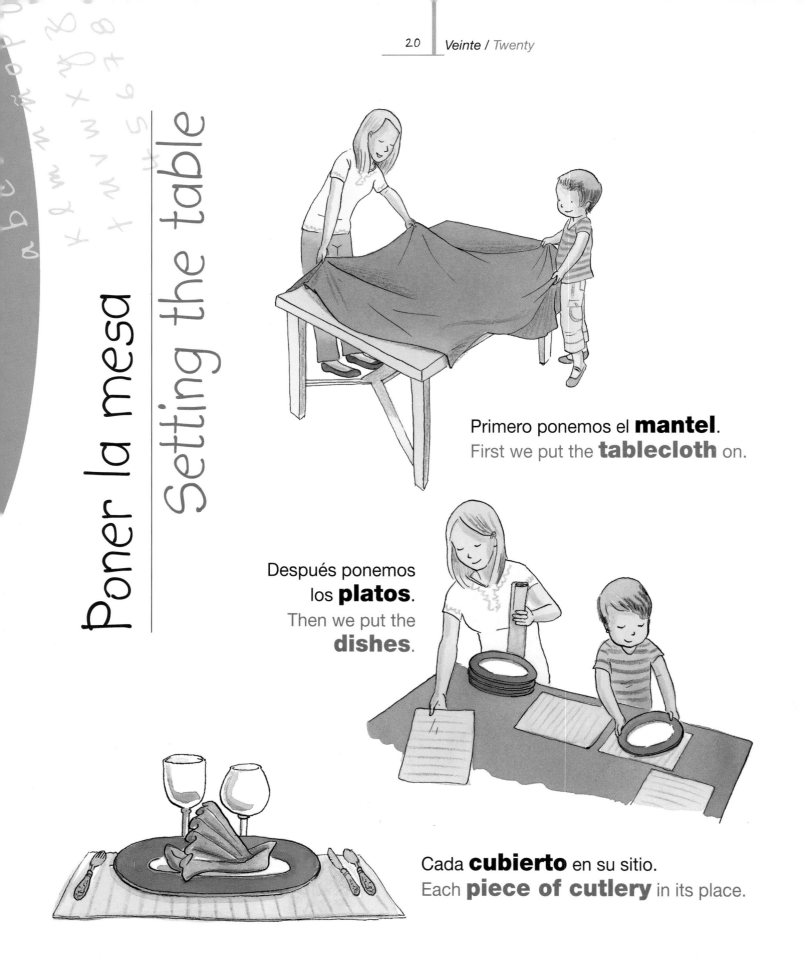

Primero ponemos el **mantel**.
First we put the **tablecloth** on.

Después ponemos los **platos**.
Then we put the **dishes**.

Cada **cubierto** en su sitio.
Each **piece of cutlery** in its place.

Mamá comprueba que las **copas** estén limpias.
Mum checks that the **glasses** are clean.

Los cubiertos: **tenedor**, **cuchillo** y **cuchara**.
The cutlery: **fork**, **knife** and **spoon**.

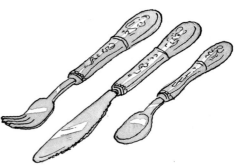

Todos los **invitados** han llegado.
All the **guests** have arrived.

Limpiar la casa
Cleaning the house

A Rosi le gusta **ayudar** a su mamá a limpiar la casa.
Rosy likes **helping** her mum do the cleaning.

La **escoba**.
The **broom**.

Tienen que **limpiar** todas las ventanas.
They have to **clean** all the windows.

Las dos **limpian el polvo** a los muebles.
They **dust** the furniture.

Mamá **pasa la fregona** por el suelo.
Mum **mops** the floor.

Por último, **ventilan** toda la casa.
Finally, they **air** the house.

A Iván le encanta **dibujar**.
Ivan loves **drawing**.

Dibujar, recortar...

Drawing, cutting out...

Iván **pinta** con mucho cuidado.
Ivan **paints** very carefully.

Una caja de **lápices**
de colores.
A box of colouring
pencils.

Hay que **recortar** las figuras.
Time to **cut out** the figures.

Después hay que
pegar las figuras.
Then it's time to
glue the figures
together.

Iván está
orgulloso de su
obra de arte.
Ivan is proud of his
masterpiece!

Profesiones | Jobs

La mamá de Ángela es **peluquera**.
Angela's mother is a **hairdresser**.

Su papá es **cartero**.
Her dad is a **postman**.

Ángela está orgullosa de su tío Juan, porque es dueño de una **tienda de animales**.
Angela is proud of her uncle John, because he owns a **pet shop**.

La tía Verónica **trabaja** en un banco.
Aunt Veronica **works** in a bank.

La hermana mayor de Ángela quiere ser **azafata**.
Angela's big sister wants to be a **flight attendant**.

¡Pero Ángela será **veterinaria**!
But Angela is going to be a **vet**!

Yukiko prepara su **bolsa**
todas las mañanas.
Yukiko gets his **bag**
ready every morning.

El colegio
School

Le gusta **esperar** a sus amigos
camino del colegio.
He likes to **wait for** his friends
on the way to school.

El ejercicio más difícil
es el **dictado**.
The hardest exercise
is **dictation**.

Su profesora
se llama Alicia.
His **teacher**'s
name is Alice.

A Yukiko le gusta
escribir en la **pizarra**.
Yukiko likes to write
on the **blackboard**.

En el **recreo** juega al fútbol
con sus compañeros.
During the **break**, he plays
football with his friends.

Fiesta de cumpleaños
Birthday party

Hoy Lola cumple cinco **años**. Ha invitado a sus amigos.
Today Loly is five **years** old. She has invited her friends.

Ha preparado algunos **juegos**.
She has planned some **games**.

¡Es hora de comer la tarta de **cumpleaños**!
It's time to have some **birthday** cake!

La **tarta**.
The **cake**.

Lola sopla las **velas**.
Loly blows out the **candles**.

Después **abre** los regalos.
Then she **opens** her presents.

Un nuevo bebé en casa

A new baby at home

«¡Mira, éste es
tu **cuarto**!».
«Look, this is your
bedroom!».

Luisa le presta
sus **juguetes**
al bebé.
Louise lends the
baby her **toys**.

Un **recién nacido**.
A **newborn baby**.

Papá le da el **biberón**.
Dad gives him the **bottle**.

¡Es la hora del **baño**!
Time for a **bath**!

Mamá y papá han llevado al bebé al hospital para una **revisión**.
Mum and Dad have taken the baby to the hospital for a **checkup**.

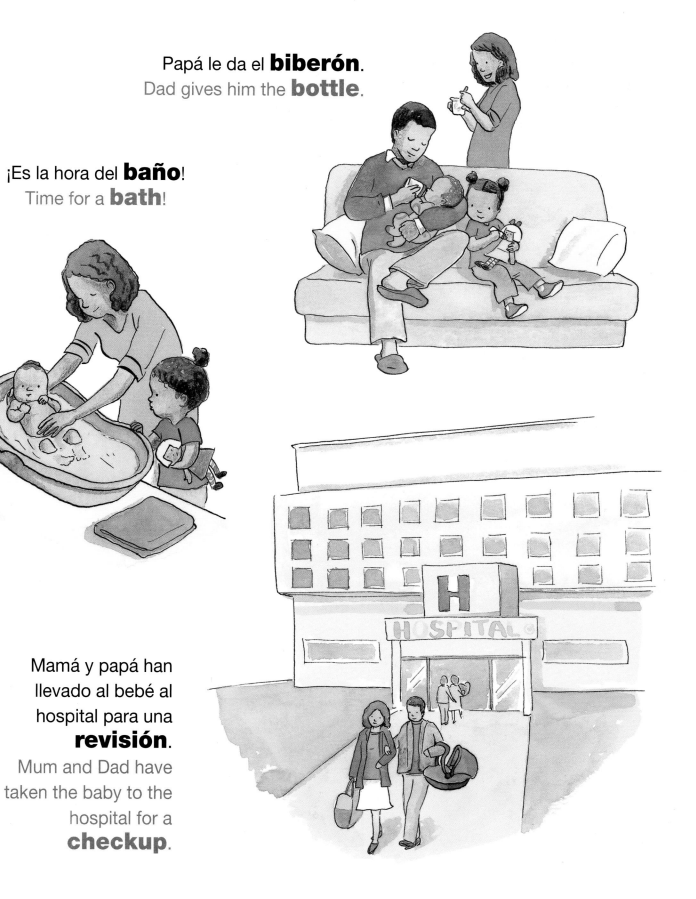

Juegos

Games

Los domingos Javier juega a las **cartas** con su hermano y su abuelo.
On Sundays, Harold plays **cards** with his brother and his grandfather.

Un juego de **damas**.
A game of **draughts**.

Javier juega a los **videojuegos**.
Harold plays **video games**.

Javier juega a las **canicas**
en el patio del colegio.
Harold plays **marbles**
in the school playground.

¡Ahhhh! ¡Soy el **lobo**
y te voy a comer!
Arghhhh! I am the **wolf**
and I will eat you up!

Las niñas
juegan a saltar
a la **comba**.
The girls play
skipping **rope**.

Marcos y su papá miran coches en la **tienda de juguetes**.

Mark and his dad look at the cars in the **toy shop**.

Juguetes

Toys

¡Es **el más rápido** cuando va en su coche!

He is the **fastest** driving his car!

A Marcos le gusta jugar con sus **muñecos de acción**.

Mark likes playing with his **action dolls**.

Su hermanita Amelia **juega a comprar** con sus amigas.
His kid sister, Amy, **plays shopping** with her friends.

Amelia juega con sus **peluches** favoritos en la cama.
Amelia plays with her favourite **fluffy toys** on her bed.

¡Cuidado! ¡Es mi **coche superrápido**!
Watch out! That's my **super-fast car**!

El cuerpo / The body

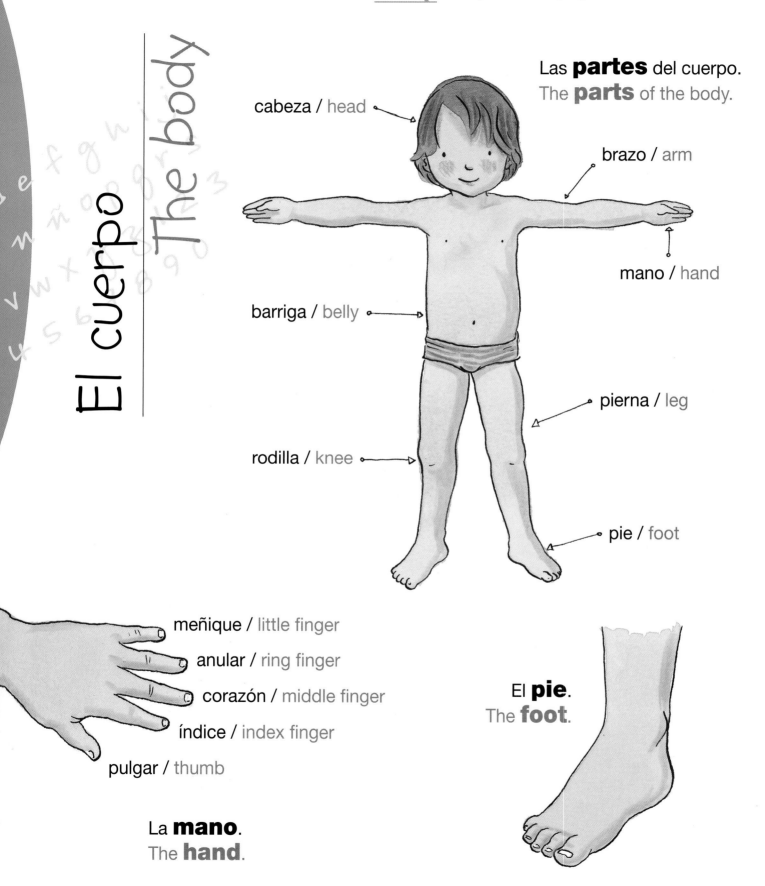

Las **partes** del cuerpo.
The **parts** of the body.

cabeza / head

brazo / arm

mano / hand

barriga / belly

pierna / leg

rodilla / knee

pie / foot

meñique / little finger

anular / ring finger

corazón / middle finger

índice / index finger

pulgar / thumb

La **mano**.
The **hand**.

El **pie**.
The **foot**.

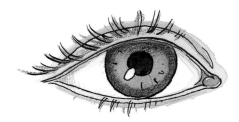

El **ojo**.
The **eye**.

Gregorio ha **crecido** mucho, pero
siempre será más pequeño que su primo.
Greg has **grown** a lot, but he will
always be smaller than his cousin.

Todos los años
la doctora examina
a Pedro para
comprobar que tiene
buena **salud**.
Every year the doctor
explores Peter to
make sure he is in
good **health**.

Los **cinco** sentidos.
The **five** senses.

vista / sight

oído / hearing

olfato / smell

gusto / taste

tacto / touch

Los sentidos
The senses

Juan necesita **ver** bien para descifrar
las letras de la pizarra.
John needs to **see** well to decipher
the letters on the blackboard.

A veces **prueba** nuevas comidas.
He sometimes **tastes** new foods.

Para reconocer a su amigo Jaime,
tiene que **tocarle** la cara.
To identify his friend Jimmy, he has
to **touch** his face.

¡Este perfume
huele bien!
This perfume
smells good!

La profesora toca
la pandereta. Juan
escucha.
The teacher
plays the
tambourine.
Yoan **listens**.

José está muy **enfadado**; alguien ha roto su coche.
Joseph is **angry**; somebody has broken his car.

Sentimientos
Feelings

¡Es **adorable**!
He is **adorable**!

Mamá pasa mucho tiempo con el bebé. José está un poco **celoso**.
Mum spends a lot of time with the baby. Joseph is a little **jealous**.

José está muy **contento**: ¡su equipo ha ganado!
Joseph is very **happy**, his team has won!

José está **triste** porque se le ha escapado el globo.
Joseph is **sad**; his balloon has gone up in the air.

¡El chocolate de Ron **parece rico**!
Ron's chocolate **looks good**!

Deportes | Sports

Alicia juega al **voleibol** en la escuela.
Alice plays **volleyball** at school.

Después juega
al **tenis**.
Afterwards she
plays **tennis**.

Su hermano juega al **fútbol**.
Her brother plays **football**.

Durante las vacaciones ella fue a **patinar sobre hielo** con su hermana mayor.
On holidays, she went **ice-skating** with her big sister.

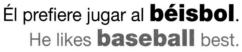

Él prefiere jugar al **béisbol**.
He likes **baseball** best.

Su papá les enseña a jugar al **golf** los fines de semana.
Their father teaches them how to play **golf** at weekends.

Bailar, cantar...
Dancing, singing...

A Alicia le encanta bailar y cantar. ¡**Practica** mucho!
Alice loves dancing and singing. She **practices** a lot!

Ella hace **ballet** todos los miércoles.
She does **ballet** every Wednesday.

A finales de año habrá un espectáculo de **danza**.
At the end of the year there will be a **dancing** show.

En la boda de su tía,
Alicia bailó un **vals**.
At her aunt's wedding,
Alice danced a **waltz**.

Alicia inventa **canciones**
en su habitación.
Alice makes up **songs**
in her bedroom.

Para su
cumpleaños, sus
padres le regalaron
una entrada para un
concierto.
For her birthday,
her parents
gave her a ticket
for a **concert**.

Instrumentos musicales
Musical instruments

David toca la **flauta**.
David plays the **flute**.

Una **guitarra**.
A **guitar**.

Su hermana Lucy está
aprendiendo **piano**.
His sister Lucy
is learning **piano**.

Su padre es un gran intérprete de **saxo**.
Their father is a great **sax** player.

Un **acordeón**.
An **accordion**.

A veces tocan
todos juntos y
mamá **canta**.
Sometimes they all
play together and
Mum **sings** along.

Frutas | Fruit

Una **fresa**.
A **strawberry**.

Al final del verano, Sara y Virginia recogen **manzanas**.
At the end of summer, Jane and Harmony pick **apples**.

Las dos ayudan a su abuela a hacer **mermelada**.
They help their grandma to make **jam**.

Cuando hace frío, mamá prepara zumo de **naranjas** recién exprimidas.

When it is cold, Mum makes juice from freshly squeezed **oranges**.

A Jane le encantan las **tartas** de fruta.

Jane loves fruit **pies**.

En septiembre se hace la **cosecha**.

In September it is **harvest** time!

Verduras

Vegetables

Kim a menudo va al **mercado**
con su mamá.
Kim often goes to the **market**
with her mum.

Una **cesta**
de verduras.
A **basket**
of vegetables.

En el huerto del abuelo
crecen **calabazas**.
There are **pumpkins**
growing in Grandpa's garden.

Kim también
coge algunos
tomates.
Kim also
picks some
tomatos.

Mamá pone **puerros**,
zanahorias y **patatas**
en la sopa.
Mum puts some **leeks**,
carrots and **potatos**
in the soup.

¡Las verduras son
buenas para la salud!
Vegetables are
good for you!

Dulces
Sweets

En la feria, Elisa come
algodón de azúcar.

At the fair, Elise has some
candy floss.

Caramelos.
Sweets.

En el cine, Elisa y sus amigas
comen **palomitas**
y **piruletas**.

At the cinema, Elise and
her friends eat **popcorn**
and **lollipops**.

En verano, en la playa,
Elisa **lame** un helado.
In summer, at the beach,
Elise **licks** an ice cream.

Un **helado**.
An **ice cream**.

¡Qué **postre**
tan bueno!
¡What a delicious
dessert!

A Amelia le encantan las **flores silvestres**.
Amelia loves **wildflowers**.

Flores
Flowers

Por la tarde regala un **ramo** de flores.
In the evening she presents a **bouquet of flowers**.

Un **girasol**.
A **sunflower**.

En Holanda fueron a ver los campos de **tulipanes**.
In Holland they visited the **tulip** fields.

Se han de poner en un **jarrón** con agua.
They must be placed in a **vase** with water.

Los **lirios**.
The **iris**.

¡Qué divertido!
¡El **sol** hace una sombra
grande en la arena!
It's fun, the **sun**
makes a big shadow
on the sand!

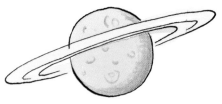

Este planeta es **Saturno**.
This planet is **Saturn**.

El cielo
The sky

A Rosa y a Nilo les
gusta mucho mirar
las **estrellas** en las
noches de verano.
Rose and Nils love watching
the **stars** at night in summer.

Esta noche la **luna** está en cuarto menguante.
The **moon** is waning tonight.

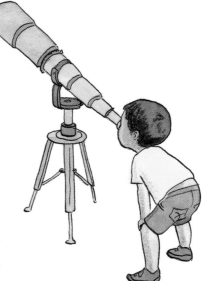

Nilo observa a través del **telescopio**.
Nils observes through the **telescope**.

A menudo van con el abuelo a admirar la **puesta de sol**.
They often go with Grandpa to admire the **sunset**.

Las estaciones
The seasons

Raquel coge flores para su mamá en **primavera**.
Kelly picks flowers for her mum in **Spring**.

¡Rápido, la **tormenta** ya llega! ¡Hay que cobijarse!
Quick, the **storm** is about to break out! We should look for shelter!

Raquel va a la playa en **verano**.
Kelly goes to the beach in **Summer**.

¡Este conejito
pronto volverá a su
madriguera
para hibernar!
This bunny will soon go
back to its **warren**
to hibernate!

Es **otoño**. Raquel busca hojas y castañas
para la profesora.
It's **Autumn**. Kelly gathers leaves and chestnuts
for her teacher.

¡Es **invierno**!
Raquel hace un
muñeco de nieve.
It's **Winter**!
Kelly is making
a snowman.

A Pablo le encanta ir de **merienda**.
Paul loves **picnics**.

La merienda
The picnic

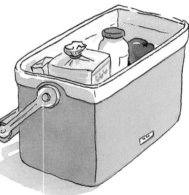

La **nevera**.
The **cooler**.

Martín ayuda a la abuela a sacar la **comida**.
Martin helps Grandma take out the **food**.

El abuelo y papá ya han preparado
sus **cañas de pescar**.
Grandpa and Dad have already
prepared their **fishing rods**.

Mientras esperan el almuerzo, Pablo y
Martín juegan al **bádminton**.
While they wait for lunch, Paul and Martin
play **badminton**.

¡Ya es hora
de **comer**!
And now it is
time to **eat**!

La playa
The beach

Teo espera
con impaciencia
sus vacaciones
junto al **mar**.
Timothy can't wait
for his holidays
by the **sea**.

Mamá no se olvida de ponerles
crema protectora.
Mum does not forget to apply
sunblock.

¡Las **olas** son divertidas!
The **waves** are fun!

Teo **bucea**
con su papá.
Timothy goes
diving
with his dad.

Después juega a las **palas**.
Later on he plays
bat and ball.

También busca
conchas con
su hermana pequeña.
He also looks for
shells with his
little sister.

Mascotas
Pets and mascots

Cuando Óliver era pequeño, no se separaba nunca de su **juguete preferido**.

When Oliver was little, he was never far from his **favourite toy**.

Ahora lleva el **llavero** que su papá le trajo de un viaje.

Now he keeps the **keyring** his dad brought him from a trip.

El partido
de baloncesto
ha terminado.
Óliver abraza
a la **mascota**
del equipo.
The basketball
game is over.
Oliver hugs
the team's
mascot.

Una **tortuga**.
A **tortoise**.

Óliver tiene un
hámster pequeño
que se llama Micky.
Oliver has a small
hamster called
Micky.

Animales de granja
Farm animals

La **pata** y
los patitos.
The **duck** and
the ducklings.

Elsa está de **vacaciones**
en la granja de su tía Carrie.
Elsa is on **holiday** at
Aunt Carrie's farm.

Las dos dan de comer y
beber a las **vacas**.
They feed the **cows** and
give them water.

También tienen
que ocuparse
de los **cerdos**.
They have to take care
of the **pigs** too.

El **conejo** grande se
come una zanahoria.
The big **rabbit**
eats a carrot.

¡Qué bonitos son
los **corderitos**!
The **little lambs**
are so cute!

El acuario
The aquarium

Lucas y su papá tienen un **acuario** precioso en casa.
Luke and his dad have a nice **fish tank** at home.

Lucas también tiene un pececito **rojo**.
Luke also has a **red** goldfish.

Hoy van a escoger un **pez** nuevo.
Today they are going to choose a new **fish**.

Todos los años van
al **museo** oceanográfico.
They go to the oceanographic
museum every year.

Un pez **amarillo**.
A **yellow** fish.

Éste no irá al acuario.
¡Lo devolverán al **agua**!
This one will not go into
the fish tank. They will throw
it back into the **water**!

Insectos Insects

El abuelo
de Jorge
colecciona
insectos.
George's
grandfather
collects
insects.

Un **saltamontes**.
A **grasshopper**.

Ellos encontraron
un **hormiguero**
en el bosque.
They found
an **anthill** in
the woods.

Los dos buscan
libélulas
en el estanque.
They look for
dragonflies
around the pond.

Jorge cuida bien
a sus **insectos**.
George takes good care
of his **insects**.

¡La hermosa **mariposa**!
The beautiful **butterfly**!

Aves
Birds

De vacaciones en la playa,
María admira las **gaviotas**.
On holidays by the sea, Mary
admires the **seagulls**.

Un **nido**.
A **nest**.

El abuelo llena el **comedero**
con semillas.
Grandpa fills the **feeder**
with seeds.

El **loro** del abuelo sabe
decir: «¡Hola, María!».
Grandpa's **parrot** can
say: «Hello Mary!».

En el zoo, papá
saca una foto a los
pelícanos.
At the zoo, Dad
takes a picture
of the **pelicans**.

Al anochecer tienen que
resguardar a los
gansos.
In the evening they must
put the **geese** inside.

Animales del bosque
Animals of the forest

Paseando por el bosque, hemos visto un **ciervo**.
Walking through the woods, we have seen a **deer**.

¡Oh! ¡Qué **ardilla** tan bonita!
Oh! What a beautiful **squirrel**!

Tejones.
Badgers.

El **búho** intenta dormir.
The **owl** is trying to sleep.

¡Un **zorro** se ha escondido
en un tronco de árbol!
A **fox** is hidden inside a tree trunk!

Una visita al zoo

A visit to the zoo

Hoy mamá y papá
llevan a Bruno y a
Marcos al **ZOO**.
Today Mum and Dad
take Ron and Mark
to the **ZOO**.

Quieren ver el
espectáculo
de las focas.
They want to watch
the seal **show**.

Dentro de un pequeño cercado
pueden acariciar a las **cabritas**.
Inside an enclosed pen they may
pet the **goat kids**.

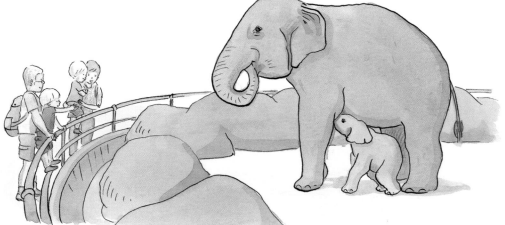

Bruno llama a la mamá
del **pequeño elefante**.
Ron calls to the
little elephant's mother.

Un **gorila**.
A **gorilla**.

Delante de las fieras, Marcos
imita al **león**.
In front of the wild animals,
Mark imitates the **lion**.

Pablo y Sole van al **parque de atracciones** con sus padres.
Pablo and Sole go to the **funfair** with their parents.

EL parque de atracciones

The funfair

La **montaña rusa**.
The **roller coaster**.

A Pablo y a Sole les gusta mucho el **tronco flotante**.
Pablo and Sole love the **log flume**.

¡Pero lo que más les gusta es el **castillo hinchable**!
But what they like best is the **bouncy castle!**

La **noria**.
The **big wheel**.

¡**Cuidado**, el avión va a despegar!
Watch out! The plane is about to take off!

El circo | The circus

Margarita y su papá van al **circo**.
Margaret and her dad go to the **circus**.

El gran **tigre** salta por el anillo de fuego.
The big **tiger** is jumping through the ring of fire.

La **foca** y su pelota.
The **seal** and its ball.

La gran **carpa**.
The **big top**.

La **acróbata**
es muy hábil.
The **acrobat**
is very skilled.

A Margarita
le gusta mucho
la actuación
del **payaso**.
Margaret likes the
clown show
very much.

Trajes elegantes o divertidos
Fancy or funny dresses

Lisa sueña con llevar el **vestido de novia** de su tía.

Lisa dreams of wearing her aunt's **wedding dress**.

Para su cumpleaños, a Lucía le regalaron un hermoso vestido de **princesa**.

For her birthday, Lucy got a beautiful **princess** dress.

En carnaval, Lisa se disfrazó de **cocodrilo**.

For the carnival, Lisa wore a **crocodile** costume.

Mamá y papá a menudo invitan a su amigo Roberto. ¡Es muy **divertido** cuando hace de payaso!

Mum and Dad often invite their friend Roger round. He is very **funny** as a clown!

Papá trajo un divertido **sombrero** de su viaje.

Dad brought a funny **hat** from his trip.

Mamá ha llevado a las niñas a un **desfile de modas**.

Mum has taken the girls to a **fashion show**.

Disfraces bonitos o terroríficos
Cute or scary costumes

En el túnel del terror, Gracia y Jaime se asustaron mucho con el **esqueleto**.

During the ghost ride, Grace and Jim had a big scare with the **skeleton**.

¡Gracia se impresionó mucho con la **bruja**!

Grace was very impressed by the **witch**!

Gracia juega a los **fantasmas** con sus primos.
Grace plays **ghosts** with her cousins.

¡Gracia se ha disfrazado de **hada**!
Grace is disguised as a **fairy**!

Jaime se ha hecho un disfraz de **monstruo**.
Jim has made himself a **monster** costume.

Navidad

Christmas

¡Mañana es **Navidad**! Igor y Ania no pueden esperar más.

Tomorrow is **Christmas Day**! Igor and Ania can hardly wait!

Papá Noel.
Father Christmas.

Los abuelos llegan para la **cena** de Navidad.

The grandparents arrive for Christmas **dinner**.

Antes de irse a dormir, los niños cuelgan los **calcetines** en la chimenea.
Before going to bed, the children hang their **stockings** from the chimney.

Los **regalos**.
The **presents**.

¡**Ha venido** Papá Noel!
Father Christmas **has been**!

Personajes de cuentos famosos
Characters from famous tales

En su habitación Fernando tiene un póster de su héroe, **Peter Pan**.

In his bedroom Harry has a poster of his hero, **Peter Pan**.

En el tiovivo, María siempre elige al **patito feo**.

On the merry-go-round, Mary always chooses the **Ugly Duckling**.

Blancanieves.
Snow White.

Cuando María invita a sus amigas, juegan a la **Cenicienta**.
When Mary invites her friends, they play **Cinderella**.

A María le gusta que su abuelo le lea el cuento de **Caperucita Roja**.
Mary loves it when Grandpa reads **Little Red Riding Hood** to her.

Fernando fue al cine a ver **Ricitos de Oro**.
Harry went to the cinema to see **Goldilocks**.

Martín coge el **autobús** para ir al colegio cada mañana.
Martin takes the **bus** to go to school every morning.

El **avión**.
The **plane**.

Los transportes
Transport

Martín va a visitar a los abuelos en **coche**.
Martin goes in the **car** to visit Grandpa and Grandma.

Hoy cogen
el **tren**.
They are taking
the **train** today.

Martín mira los **barcos** pasar.
Martin watches the **ships** go by.

Los domingos **va en
bicicleta** con su papá.
On Sundays he goes
cycling with his dad.

El salón de belleza
The beauty salon

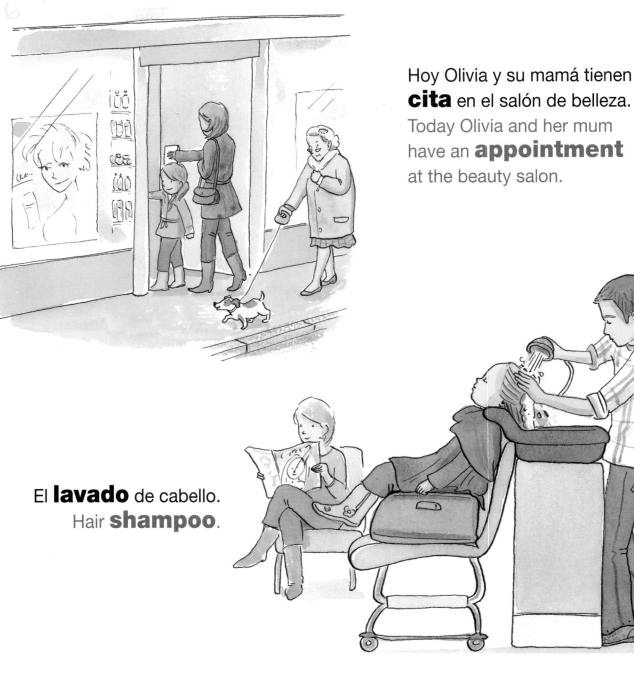

Hoy Olivia y su mamá tienen **cita** en el salón de belleza.
Today Olivia and her mum have an **appointment** at the beauty salon.

El **lavado** de cabello.
Hair **shampoo**.

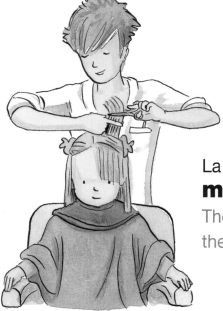

El **peine** y las **tijeras**.
The **comb** and the **scissors**.

La peluquera corta los primeros
mechones de pelo.
The hairdresser cuts
the first **locks of hair**.

Mamá espera a que se le **seque** el pelo.
Mum waits for her hair to **dry**.

¡Olivia se ve **guapa**!
Olivia feels **beautiful**!

El médico
The doctor

Mamá lleva a Arturo al **médico** esta mañana.
Mum is taking Arthur to the **doctor** this morning.

El médico coloca a Arturo sobre la **camilla**.
The doctor places Arthur on the **couch**.

El **estetoscopio**.
The **stethoscope**.

Lo **pesa** y lo **mide**.
He **weighs** and **measures** him.

Escucha el **latido del corazón**.
He listens to his **heartbeat**.

¡Sólo tiene un poco de **gripe**!
It's just a touch of **flu**!

A Fede le gusta
ir al **parque**.
Frank likes going
to the **park**.

El parque
The park

Le gusta **montarse**
en el coche-balancín.
He likes **riding**
the rocking car.

Allí **se encuentra**
con sus amigos.
He **meets** his friends there.

Hace **castillos de arena** para su hermanita.
He makes **sandcastles** for his little sister.

Lo que más me gusta es el **columpio**.
What I like best is the **swing**.

¡El **tobogán** es para los niños mayores!
The **slide** is for older kids!

El supermercado
The supermarket

A Nelson le gusta
ir a **comprar**.
Nelson likes to
go **shopping**.

Él **elige** los cereales
para el desayuno.
He **chooses** his
breakfast cereal.

Le gusta leer en la
sección de revistas.
He likes to read by the
magazine rack.

En la **pescadería**
siempre mira los cangrejos.
At the **fish counter** he
always looks at the crabs.

Sal, pimienta... Papá repasa la
lista para no olvidarse de nada.
Salt, pepper… Dad checks his **list**
so he won't forget anything.

¡Ahora hay que pasar por **caja**!
Now you have to go to the
checkout!

Carlos va a coger
un avión **hoy**.
Charles is going
to catch a plane
today.

El aeropuerto
The airport

Los aviones de la **pista**
se preparan para despegar.
The planes on the **runway**
are getting ready to take off.

Carlos está impresionado.
El aeropuerto es muy **grande**.
Charles is impressed. The airport
is very **big**.

Carlos acompaña a su padre
a **facturar** las maletas.
Charles goes to **check** the luggage
in with his dad.

En el avión hay que
abrocharse el **cinturón**.
In the plane you must
fasten your **seat belt**.

¡Ya está! ¡El avión
está **despegando**!
There! The plane
is **taking off**!

Presentar a una persona
Introducing a person

Mi nombre es
Pedro, ¿cómo
te llamas tú?
My name is
Peter, what's yours?

¿Quieres **jugar conmigo**?
Me llamo Dani y ésta es mi amiga Julia.
Will you **play with me**?
My name is Dan and this is my friend Julia.

Me gusta mucho
tu camiseta. ¿Dónde la compraste?
I really like your shirt!
Where did you get it?

Mi **amiga** Lola.
My **friend** Lola.

Tú y tus amigos
os divertís mucho.
**¿Puedo jugar
yo también**?
Me llamo Samuel.
You and your
friends are having
a lot of fun.
Can I play too?
My name is Sam.

¡Vamos a repasar!

Let's revise!

En casa / At home .. p.4

casa: home

salón: living room

jardín: garden

cama: bed

garage: garage

escritorio: desk

La familia / The family p.6

hermanita: little sister

padres: parents

familia: family

primos: cousins

tía: aunt

abuelo: grandpa

abuela: grandma

Hora de levantarse / Time to get up p.8

despertador: alarm clock

abrazo: hug

desayunar: have breakfast

vestirse: get dressed

lavarse: wash

listo: ready

Higiene personal / Personal hygiene p.10

cuarto de baño: bathroom

toalla: towel

peinarse: comb

pelo: hair

uñas: nails

colonia: cologne

La ropa / Clothes p.12

mañana: morning

sudadera: sweatshirt

botas: boots

impermeable: raincoat

abrochar: tie

zapatos: shoes

guantes: gloves

tener hambre: be hungry

pan: bread

mantequilla: butter

zumo: juice

cereales: cereal

leche: milk

fruta: fruit

cansado: tired

vasito: small glass

cuento: story

beso: kiss

¡Buenas noches!: Good night!

cocinar: cook

libro de cocina: cookbook

ingredientes: ingredients

mezcla: mix

cocción: baking

pastelito: cake

Poner la mesa / Setting the table p.20

mantel: tablecloth

platos: dishes

cubierto: piece of cutlery

copas: glasses

tenedor: fork

cuchillo: knife

cuchara: spoon

invitados: guests

Limpiar la casa / Cleaning the house p.22

ayudar: help

escoba: broom

limpiar: clean

limpiar el polvo: dust

pasar la fregona: mop

ventilar: air

Dibujar, recortar... / Drawing, cutting out... . . p.24

dibujar: draw

pintar: paint

lápices: pencils

recortar: cut out

pegar: glue

obra de arte: masterpiece

Profesiones / Jobs

peluquera: hairdresser

cartero: postman

tienda de animales: pet shop

trabajar: work

azafata: flight attendant

veterinaria: vet

El colegio / School

bolsa: bag

esperar: wait for

dictado: dictation

profesora: teacher

pizarra: blackboard

recreo: break

Fiesta de cumpleaños / Birthday party

años: years (old)

juegos: games

cumpleaños: birthday

tarta: cake

velas: candles

abrir: open

Un nuevo bebé en casa / A new baby at home. . p.32

cuarto: bedroom

juguetes: toys

recién nacido: newborn baby

biberón: bottle

baño: bath

revisión: checkup

Juegos / Games p.34

cartas: cards

damas: draughts

videojuegos: video games

canicas: marbles

lobo: wolf

comba: skipping rope

Juguetes / Toys p.36

tienda de juguetes: toy shop

el más rápido: the fastest

muñecos de acción: action dolls

jugar a las compras: play shopping

peluches: fluffy toys

coche superrápido: super-fast car

El cuerpo / The body

partes: parts

mano: hand

pie: foot

ojo: eye

crecer: grow

salud: health

Los sentidos / The senses

cinco: five

vista: sight

probar: taste

tocar: touch

oler: smell

escuchar: listen

Sentimientos / Feelings

enfadado: angry

adorable: adorable

celoso: jealous

contento: happy

triste: sad

¡Parece rico!: It looks good!

Deportes / Sports p.44

voleibol: volleyball

tenis: tennis

fútbol: football

patinar sobre hielo: ice-skating

béisbol: baseball

golf: golf

Bailar, cantar... / Dancing, singing... . . . . p.46

practicar: practice

ballet: ballet

danza: dancing

vals: waltz

canciones: songs

concierto: concert

Instrumentos musicales / Musical instruments . . p.48

flauta: flute

guitarra: guitar

piano: piano

saxo: sax

acordeón: accordion

cantar: sing

Frutas / Fruit p.50

fresa: strawberry

manzanas: apples

mermelada: jam

naranjas: oranges

tartas: pies

cosecha: harvest

Verduras / Vegetables p.52

mercado: market

cesta: basket

calabazas: pumpkins

tomates: tomatos

puerros: leeks

patatas: potatos

zanahorias: carrots

buenas: good

Dulces / Sweets p.54

algodón de azúcar: candy floss

caramelos: sweets

palomitas: popcorn

piruletas: lollipops

lamer: lick

helado: ice cream

postre: dessert

Flores / Flowers p.56

flores silvestres: wildflowers

ramo: bouquet

girasol: sunflower

tulipán: tulip

jarrón: vase

lirio: iris

El cielo / The sky p.58

sol: sun

Saturno: Saturn

estrellas: stars

luna: moon

telescopio: telescope

puesta de sol: sunset

Las estaciones / The seasons p.60

primavera: Spring

verano: Summer

tormenta: storm

madriguera: warren

otoño: Autumn

invierno: Winter

La merienda / The picnic

meriendas: picnics

nevera: cooler

comida: food

caña de pescar: fishing rod

bádminton: badminton

comer: eat

La playa / The beach

mar: sea

crema protectora: sunblock

olas: waves

bucear: go diving

palas: wooden bats

conchas: shells

Mascotas / Pets and mascots

juguete preferido: favourite toy

llavero: keyring

mascota: mascot/pet

tortuga: tortoise

hámster: hamster

Animales de granja / Farm animals

pato: duck

vacaciones: holidays

vacas: cows

cerdos: pigs

conejo: rabbit

corderitos: little lambs

El acuario / The aquarium

acuario: fish tank

rojo: red

pez: fish

museo: museum

amarillo: yellow

agua: water

Insectos / Insects

coleccionar: collect

saltamontes: grasshopper

hormiguero: anthill

libélulas: dragonflies

insectos: insects

mariposa: butterfly

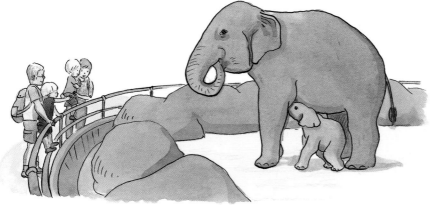

El parque de atracciones / The funfair p.80

parque de atracciones: funfair

montaña rusa: roller coaster

tronco flotante: log flume

castillo hinchable: bouncy castle

noria: big wheel

¡Cuidado!: Watch out!

El circo / The circus p.82

circo: circus

foca: seal

tigre: tiger

carpa: big top

acróbata: acrobat

payaso: clown

Trajes divertidos / Fun dresses p.84

vesido de novia: wedding dress

princesa: princess

cocodrilo: crocodile

divertido: fun

sombrero: hat

desfile de modas: fashion show

Disfraces / Costumes p.86

esqueleto: skeleton

bruja: witch

fantasmas: ghosts

hada: fairy

monstruo: monster

Navidad / Christmas p.88

Navidad: Christmas

Papá Noel: Father Christmas

cena: dinner

calcetines: stockings

regalos: presents

venir: come

Personajes de cuentos / Characters from tales . . . p.90

Peter Pan: Peter Pan

Patito Feo: Ugly Duckling

Blancanieves: Snow White

Cenicienta: Cinderella

Caperucita Roja:

Little Red Riding Hood

Ricitos de Oro:

Goldilocks

Los transportes / Transport p.92

autobús: bus

avión: plane

coche: car

tren: train

barcos: ships

ir en bicicleta: go cycling

El salón de belleza / The beauty salon p.94

cita: appointment

lavado: shampoo

peine: comb

tijeras: scissors

mechones de pelo: locks of hair

secar: dry

guapa: beautiful

El médico / The doctor p.96

médico: doctor

camilla: couch

estetoscopio: stethoscope

pesar: weigh

medir: measure

latidos del corazón: heartbeat

gripe: flu

El parque / The park p.98

parque: park

montar: ride

encontrarse: meet

castillos de arena: sandcastles

columpio: swing

tobogán: slide

El supermercado / The supermarket p.100

comprar: shop

escoger: choose

sección de revistas: magazine rack

pescadería: fish counter

lista: list

caja: checkout

El aeropuerto / The airport

hoy: today

pista: runway

grande: big

facturar: check in

cinturón: seat belt

despegar: take off

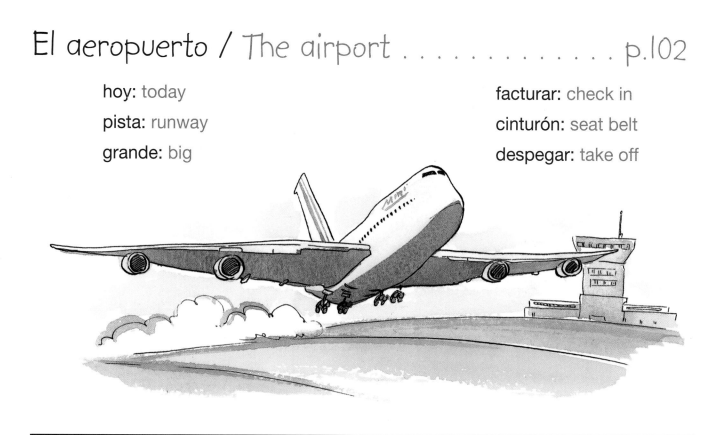

Presentar a una persona / Introducing a person

Me llamo...: My name is...

Jugar conmigo: play with me

Me gusta mucho...: I really like...

amiga: friend

¿Puedo jugar yo también?:

Can I play too?

Diccionario alfabético

A

abrazo: hug
abrir: open
abrochar: tie
abuela: grandma
abuelo: grandpa
acordeón: accordion
acróbata: acrobat
actuación: show
acuario: fish tank
adorable: adorable
agua: water
algodón de azúcar: candy floss
amarillo: yellow
amigo: friend
año: year
ardilla: squirrel
arena: sand
autobús: bus
avión: plane
ayudar: help
azafata: flight attendant

B

bádminton: badminton
ballet: ballet
baño: bath
barco: ship
béisbol: baseball
beso: kiss
biberón: bottle
bicicleta: bicycle
Blancanieves: Snow White
bolsa: bag
botas: boots
bruja: witch
bucear: dive
¡Buenas noches!: Goodnight!
bueno: good

C

cabra: goat
caja: checkout
calabaza: pumpkin
calcetín: stocking
cama: bed

camilla: couch
canción: song
canicas: marbles
cansado: tired
cantar: sing
caña de pescar: fishing rod
Caperucita Roja: Little Red Riding Hood
caramelo: sweet
carpa: big top
carta: card
cartero: postman
casa: home
castillo de arena: sandcastle
celoso: jealous
cena: dinner
Cenicienta: Cinderella
cerdo: pig
cereales: cereal
cesta: basket
ciervo: deer
cinco: five
cinturón: seat belt
circo: circus
cita: appointment
cocción: baking
coche: car
coche superrápido: super-fast car
cocinar: cook
cocodrilo: crocodile
coleccionar: collect
colonia: cologne
columpio: swing
comedero: feeder
comer: eat
comida: food
comprar: go shopping
concha: shell
concierto: concert
conejo: rabbit
contento: happy
copa: glass
cordero: lamb
cosecha: harvest
crecer: grow

crema protectora: sunblock
cuarto: bedroom
cuarto de baño: bathroom
cubierto: piece of cutlery
cuchara: spoon
cuchillo: knife
cuento: story
cuerda: rope
cuidado: careful
cumpleaños: birthday

D

damas: checkers
danza: dance
desayuno: breakfast
desfile de modas: fashion show
despegar: take off
despertador: alarm clock
dibujar: draw
dictado: dictation
divertido: fun

E

elefante: elephant
elegir: choose
encontrar: meet
enfadado: angry
escoba: broom
escritorio: desk
escuchar: listen
espectáculo: show
esperar: wait
esqueleto: skeleton
estetoscopio: stethoscope
estrella: star

F

facturar: check in
familia: family
fantasma: ghost
favorito: favorite
flauta: flute
flor silvestre: wildflower
foca: seal

fresa: strawberry
fruta: fruit
fútbol: football

G

gansos: gesse
garaje: garage
gaviota: seagull
girasol: sunflower
golf: golf
gorila: gorilla
grande: big
gripe: flu
guantes: gloves
guapa: beautiful
guitarra: guitar
gustar: like

H

hada: fairy
hámster: hamster
helado: ice cream
hermana: sister
hinchable: inflatable
hormiguero: anthill
hoy: today

I

impermeable: raincoat
ingredientes: ingredients
insecto: insect
invierno: Winter
invitado: guest

J

jardín: garden
jarrón: vase
juego: game
jugar: play
juguete: toy

L

lamer: lick
lápiz: pencil
latido del corazón: heartbeat
lavado: shampoo

lavar: wash
leche: milk
búho: owl
león: lion
libélula: dragonfly
libro de cocina:
cookbook
limpiar: clean
limpiar el polvo: dust
lirio: iris
lista: list
listo: ready
llamarse: be named
llavero: keyring
lobo: wolf
loro: parrot
luna: moon

M
madriguera: warren
mano: hand
mantel: tablecloth
mantequilla: butter
manzana: apple
mañana: morning
mar: sea
mariposa: butterfly
mascota: pet
mechón de pelo:
lock of hair
médico: doctor
medir: measure
mercado: market
merienda: picnic
mermelada: jam
mezcla: mix
monstruo: monster
montaña rusa:
roller coaster
montar: ride
muñeco de acción:
action dolls
museo: museum

N
naranja: orange
Navidad: Christmas
nevera: cooler

nido: nest
nombre: name
noria: big wheel

O
obra de arte: masterpiece
ojo: eye
ola: wave
oler: smell
otoño: Autumn

P
padres: parents
palas: woodden bats
palomitas: popcorn
pan: bread
Papá Noel: Father
Christmas
¡Parece rico!: It looks
good!
parque: park
parque de atracciones:
funfair
parte: part
pasar la fregona: mop
pastel: cake
patata: potato
patinar sobre hielo:
ice-skating
Patito feo: Ugly Duckling
pato: duck
payaso: clown
pegar: glue
peinarse: comb
peine: comb
pelícano: pelican
pelo: hair
peluche: fluffy toy
peluquera/o: hairdresser
pequeño: little
pesar: weigh
pescadería: fish counter
Peter Pan: Peter Pan
pez: fish
piano: piano
pie: foot
pintar: paint
piruleta: lollipop

pista: runway
pizarra: blackboard
plato: dish
postre: dessert
practicar: practice
primavera: Spring
primo: cousin
princesa: princess
probar: taste
profesor/a: teacher
puerro: leek
puesta de sol: sunset

R
ramo: bouquet
rápido: fast
recién nacido: newborn
baby
recortar: cut out
recreo: break
regalo: present
revisión: checkup
revista: magazine
Ricitos de Oro:
Goldilocks
rojo: red

S
salón: living room
saltamontes:
grasshopper
salud: health
Saturno: Saturn
saxo: sax
secar: dry
sol: sun
sombrero: hat
sudadera: sweatshirt

T
también: too
tarta: cake
tejón: badger
telescopio: telescope
tenedor: fork
tener hambre:
be hungry
tenis: tennis

tía: aunt
tienda de animales:
pet shop
tienda de juguetes:
toy store
tigre: tiger
tijeras: scissors
toalla: towel
tobogán: slide
tocar: touch
tomate: tomato
tormenta: storm
tortuga: tortoise
tren: train
triste: sad
tronco flotante:
log flume
tulipán: tulip

U
uña: nail

V
vaca: cow
vacaciones: holidays
vals: waltz
vaso: glass
vela: candle
venir: come
ventilar: air
verano: Summer
vestido de novia:
wedding dress
vestirse: get dressed
veterinario/a: vet
videojuego: video game
volleibol: volleyball

Z
zanahoria: carrot
zapatos: shoes
zoo: zoo
zorro: fox
zumo: juice

Alphabetical dictionary

A
accordion: acordeón
acrobat: acróbata
action doll:
muñeco de acción
adorable: adorable
air: ventilar
alarm clock:
despertador
angry: enfadado
anthill: hormiguero
apple: manzana
appointment: cita
aunt: tía
Autumn: otoño

B
badger: tejón
badminton: bádminton
bag: bolsa
baking: cocción
ballet: ballet
baseball: béisbol
basket: cesta
bath: baño, bañarse
bathroom: cuarto de baño
be hungry: tener hambre
beautiful: guapa
bed: cama
bedroom: habitación
big: grande
big wheel: noria
bike: bicicleta
birthday: cumpleaños
blackboard: pizarra
boots: botas
bottle: biberón
bouquet: ramo
bread: pan
break: recreo
breakfast: desayuno
broom: escoba
bus: autobús
butter: mantequilla
butterfly: mariposa

C
cake: tarta
candle: vela
car: coche
cards: cartas
carrot: zanahoria
cereal: cereales
check in: facturar
checkers: damas
checkout: caja
checkup: revisión
choose: elegir
Christmas: Navidad
Cinderella: Cenicienta
circus: circo
clean: limpiar
clown: payaso
collect: coleccionar
cologne: colonia
comb: peine, peinar
come: venir
concert: concierto
cook: cocinar
cookbook:
libro de cocina
cooler: nevera
candy floss:
algodón de azúcar
couch: camilla
cousin: primo
cow: vaca
crocodile: cocodrilo
cut out: recortar

D
dancing: danzar
deer: ciervo
desk: escritorio
dessert: postre
dictation: dictado
dinner: cena
dish: plato
dive: bucear
doctor: médico
dragonfly: libélula
draw: dibujar
dry: secar
duck: pato
dust: sacar el polvo

E
eat: comer
elephant: elefante
eye: ojo

F
fairy: hada
family: familia
fashion show:
desfile de modas
fast: rápido
Father Christmas: Papá
Noel
favorite: favorito
feeder: comedero
fish: pez
fish counter: pescadería
fish tank: acuario
fishing rod:
caña de pescar
five: cinco
flight attendant: azafata
flu: gripe
fluffy toy: peluche
flute: flauta
food: comida
foot: pie
football: fútbol
fork: tenedor
fox: zorro
friend: amiga/o
fruit: fruta
funfair: parque de
atracciones
fun: divertido

G
game: juego
garage: garaje
garden: jardín
geese: gansos
get dressed: vestirse
ghost: fantasma
glass: vaso, copa
gloves: guantes
glue: pegar
go shopping: comprar
goat: cabra
Goldilocks:
Ricitos de Oro
golf: golf
good: bueno
Good night!:
¡Buenas noches!
gorilla: gorila
grandma: abuela
grandpa: abuelo
grasshopper:
saltamontes
grow: crecer
guest: invitado
guitar: guitarra

H
hair: pelo
hairdresser: peluquera/o
hamster: hámster
hand: mano
happy: contento
harvest: cosecha
hat: sombrero
health: salud
heartbeat:
latido del corazón
help: ayudar
holidays: vacaciones
home: casa
hug: abrazo

I
ice cream: helado
ice-skating:
patinar sobre hielo
inflatable: hinchable
ingredients: ingredientes
insect: insecto
iris: lirio

J
jam: mermelada
jealous: celoso
juice: zumo

K
keyring: llavero
kiss: beso

knife: cuchillo

L

lamb: cordero
leek: puerro
lick: lamer
like: gustar
lion: león
list: lista
listen: escuchar
little: pequeño
Little Red Riding Hood:
Caperucita Roja
living room: salón
lock of hair:
mechón de pelo
log flume: tronco
flotante
lollipop: piruleta
It looks good!:
¡Parece rico!

M

magazine: revista
marbles: canicas
market: mercado
masterpiece:
obra de arte
measure: medir
meet: encontrarse
milk: leche
mix: mezcla
monster: monstruo
moon: luna
mop: pasar la fregona
morning: mañana
museum: museo

N

nail: uña
nest: nido
newborn baby:
recién nacido

O

open: abrir
orange: naranja
owl: búho

P

paint: pintar
parents: padres
park: parque
parrot: loro
part: parte
pelican: pelícano
pencil: lápiz
pet: mascota
pet shop:
tienda de animales
Peter Pan: Peter Pan
piano: piano
picnic: merienda
pie: tarta
pig: cerdo
plane: avión
play: jugar
popcorn: palomitas
postman: cartero
potato: patata
practice: practicar
present: regalo
princess: princesa
pumpkin: calabaza

R

rabbit: conejo
raincoat: impermeable
ready: listo
red: rojo
ride: montar
roller coaster:
montaña rusa
rope: comba
runway: pista

S

sad: triste
sand: arena
sandcastle: castillo de
arena
Saturn: Saturno
sax: saxo
scissors: tijeras
sea: mar
seagull: gaviota
seal: foca

seat belt: cinturón
shampoo: lavado
shell: concha
ship: barco
shoes: zapatos
show: actuación,
espectáculo
sing: cantar
sister: hermana
skeleton: esqueleto
slide: tobogán
small: pequeño
smell: oler
Snow White: Blancanieves
song: canción
spoon: cuchara
Spring: primavera
squirrel: ardilla
star: estrella
sthetoscope:
estetoscopio
stockings: calcetines
storm: tormenta
story: cuento
strawberry: fresa
summer: verano
sun: sol
sunblock:
crema protectora
sunflower: girasol
sunset: puesta de sol
super-fast car:
coche superrápido
sweatshirt: sudadera
sweet: caramelo
swing: columpio

T

tablecloth: mantel
take off: despegar
taste: probar
teacher: profesor/a
telescope: telescopio
tennis: tenis
tent: carpa
tie: abrochar
tiger: tigre
tired: cansado

today: hoy
tomato: tomate
too: también
touch: tocar
towel: toalla
toy: juguete
toy store:
tienda de juguetes
train: tren
tulip: tulipán
turtle: tortuga

U

Ugly Duckling:
Patito feo
piece of cultlery:
cubierto

V

vase: jarrón
vet: veterinaria/o
video games: videojuegos
volleyball: voleibol

W

wait for: esperar
waltz: vals
warren: madriguera
wash: lavar
Watch out!: ¡Cuidado!
water: agua
wave: ola
wedding dress:
vestido de novia
weigh: pesar
wildflower: flor silvestre
winter: invierno
witch: bruja
wolf: lobo
wooden paddles: palas
work: trabajar

Y

year: año
yellow: amarillo

Z

zoo: zoo

Mi primer diccionario de frases
Español/Inglés

Texto e ilustraciones: Armelle Modéré
Dirección editorial: Natalia Hernández
Revisión técnica: Eleanor Pitt y Equipo Susaeta

© Gemser Publications, S.L.
© SUSAETA EDICIONES, S.A.
Campezo, s/n - 28022 Madrid
Tel.: 913 009 100 - Fax: 913 009 118
www.susaeta.com
Impreso en China